Französische Chansons

EINLEITUNG

Obwohl Saint-Saëns, Fauré und Debussy besonders für ihr Schaffen in anderen Bereichen bekannt sind, stellen diese Chorsätze dennoch einen Höhepunkt dieses Genres dar.

Saint-Saëns komponierte seine *Deux Choeurs* Op. 68 im Jahre 1882; sie wurden ein Jahr später veröffentlicht. Die Bilderwelt der Texte, deren Dichter unbekannt sind, diente als Anregung für zwei attraktive und gegensätzliche Lieder, die auch einzeln aufgeführt werden können. In *Calmes des nuits* steht die ausdrucksvolle Einfachheit der äußeren Teile in einem starken Gegensatz zu der Leidenschaft der kurzen mittleren Passage. Eine allgemein vorherrschende Atmosphäre ruhiger Heiterkeit kann jedoch durch sehr leichtes Singen bei einem natürlichen, ruhigen und kontrollierten Zeitmaß erzielt werden. *Les fleurs et les arbres* sollte nicht zu schnell gesungen werden. Dabei ist auf den poetischen und den musikalischen Rhythmus gleichermaßen zu achten.

Faurés *Madrigal*, komponiert 1883, ist André Messager, einem Schüler und langjährigen Freund des Komponisten, gewidmet. Es handelt sich um eine Vertonung von Worten Armand Silvestres, eines unbekannten Dichters, dessen Werke Fauré zu einigen seiner erlesensten *Mélodies* – Sololiedern – inspirierten. Die melodische Hauptidee beruht auf dem lutherischen Choral "Aus tiefer Not". Es gibt keine Erklärung für diese merkwürdige Tatsache; die Melodie ist jedoch in dieser Bearbeitung sehr wirkungsvoll, vor allem dann, wenn sehr sorgfältig auf die Klangfarbe und den Wortsinn geachtet und ausgeprägt phrasiert wird.

Debussys *Trois Chansons* wurden 1908 veröffentlicht und erstmals am 9. April 1909 im Rahmen der Concerts Colonne in Paris aufgeführt. Genau genommen war aber nur das zweite Lied neu, denn die beiden anderen Lieder hatte Debussy schon 1898 für einen Amateurchor komponiert, den er eine Zeitlang leitete. Das erste Lied wurde für die Veröffentlichung leicht geändert und das dritte erheblich überarbeitet. In der zweiten Auflage (1910) unterscheidet sich *Quant j'ai ouy le tabourin* vom Originalmanuskript und der ersten Auflage. Es besteht kein Grund zur Annahme, daß Debussy die spätere Version bevorzugte. In der vorliegenden Ausgabe werden beide Fassungen durch Fußnoten rekonstruierbar.

Die Lieder wurden vom Publikum begeistert aufgenommen. Die Kritiker standen ihnen jedoch wegen Debussys kontrapunktischen Archaismen und wegen seiner neuen Harmonik ablehnend gegenüber. Nicht zum ersten Mal war das Publikum der bessere Richter: Obwohl technisch sehr anspruchsvoll, sind die drei Lieder wunderschön geschrieben und es lohnt sich, sie zu singen. Das Zeitmaß sollte regelmäßig und nicht zu schnell genommen werden. In *Dieu! qu'il la fait bon regarder!* ist etwas rubato angemessen. Die trommelartige Begleitung in *Quant j'ai ouy le tabourin* und in den äußeren Teilen von *Yver, vous n'estes qu'un villain* fordert einen forschen Rhythmus. Zu achten ist besonders auf die Intonation, denn eines der besonderen Merkmale dieser Lieder ist die Debussysche Harmonik.

Anmerkungen der Redaktion

Diese Ausgaben basieren auf gedruckten Quellen und Manuskriptkopien der Bibliothèque Nationale, Paris, und zwar:

Saint-Saëns   Durand, Schoenewerk & Cie (1883) und BN: MS 821 (datiert 'Decembre 1882').

Fauré   J Ham~ (Versio~

Debussy   Durand & Cie (Ausgaben von 1908 und 1910) und BN: MS 192.

In allen Fällen sind die Manuskripte gut leserlich und stellen – mit Ausnahme einiger weniger widersprüchlicher Textstellen und Interpunktions- und Vortragszeichen – eine klare Anleitung für den Herausgeber dar; kleinere Unstimmigkeiten wurden kommentarlos korrigiert. Die Klavierauszüge stammen vom Herausgeber; andere Ergänzungen stehen in eckigen Klammern. Ich möchte mich an dieser Stelle bei den Mitgliedern des Clare College Choir und des Cambridge University Chamber Choir bedanken, die diese Musik für mich zum Leben erweckt haben und neben anderen den Anstoß für diese Ausgabe gaben. Ich danke auch Nancy-Jane Thompson und Madame Sylvia Aubry für ihre Hilfe bei den Übersetzungen sowie Philip Ford, Pegram Harrison, Marc de Mauny und Lydia Smallwood für anderweitige Unterstützung.

Timothy Brown
Januar 1992

Übersetzungen

Calme des nuits Stille der Nacht, Abendfrische, unendliches Funkeln der Welten. Ewiges Schweigen dunkler Höhlen: Ihr entzückt die tiefen Seelen. Blendender Sonnenglanz, Heiterkeit, Lärm sind leichtfertige Freuden; den Dichter allein erfüllt die Liebe zu den leisen Dingen.

Les fleurs et les arbres Blumen und Bäume, Bronze, Marmor, Gold, Emaille, das Meer, Brunnen, Berge und Ebenen Trösten unsere Leiden. Ewige Natur Du scheinst am schönsten angesichts des Schmerzes! Und die Kunst gebietet über uns, ihre Glut erleuchtet Lachen und Weinen.

Madrigal Ihr Gefühllosen, die ihr erbarmungslos über unseren Kummer spottet, liebt, wenn man euch liebt. Ihr Undankbaren, die ihr nicht die Träume spürt, die über eurem Schritt erblühen, liebt, wenn man euch liebt. O ihr herzlosen Schönen wisset, daß die Tage der Liebe gezählt sind. Ihr wankelmütigen Liebhaber wisset, daß es die wahre Liebe nur einmal gibt! Uns verfolgt ein gleiches Schicksal, und gleich ist unsere Torheit, es ist der Liebe, die uns flieht, es ist die der Flucht, die uns liebt.

Dieu! qu'il la fait bon regarder! Mein Gott! wie angenehm es ist, die reine und schöne Anmutige anzusehen; wegen all ihrer guten Eigenschaften ist jeder geneigt, sie zu loben. Wer könnte auch von ihr lassen! Ihre Schönheit erneuert sich täglich. Mein Gott! wie angenehm es ist, die reine und schöne Anmutige anzusehen! Weder diesseits noch jenseits des Meeres kenne ich eine Dame oder ein Fräulein von ähnlicher Vollkommenheit. Es ist ein Traum, daran zu denken: Mein Gott! wie angenehm es ist, sie anzusehn!

Quant j'ai ouy le tabourin Als ich hörte, daß der Trommler spielte, um im Mai davonzuziehen, erschrak ich nicht in meinem Bett, oder erhob mein Haupt vom Kissen, sondern sagte: es ist noch zu früh am Morgen, ich werde noch ein wenig weiterschlafen; als ich hörte, daß der Trommler spielte, um im Mai davonzuziehen. Junge Leute teilen ihre Beute; ich werde mich der Bequemlichkeit hingeben und mich von ihr erbeuten lassen. So eroberte ich meinen nächsten Nachbarn, als ich den Trommler hörte.

Yver, vous n'estes qu'un villain Winter, du bist nur ein Schurke! der Sommer ist ehrsam und freundlich; das bezeugen Mai und April, seine Gefährten am Abend und Morgen. Der Sommer hüllt Feld, Wald und Flur in sein grünes Kleid und in manch andere Farbe nach dem Plan der Natur. Aber du, Winter, bescherst nur Schnee, Wind, Regen und Hagel im Überfluß; ins Exil sollte man dich verbannen. Ohne Schmeichelei sage ich glatt: Winter, du bist nur ein Schurke.

ISBN 0-571-51310-7

Calme des nuits

Text: Anon

CAMILLE SAINT-SAËNS
Op. 68 No. 1

* MS originally shows F♯, G being a subsequent alteration.
MS enthält ursprünglich F♯, G ist eine spätere Änderung.

Les fleurs et les arbres

Text: Anon

CAMILLE SAINT-SAËNS
Op. 68 No. 2

To André Messager

Madrigal

Text: Armand Silvestre

GABRIEL FAURÉ
Op. 35

TROIS CHANSONS

Text: Charles d'Orléans

CLAUDE DEBUSSY

1. Dieu! qu'il la fait bon regarder!

2. Quant j'ai ouy le tabourin

* Debussy's punctuation throughout. *Durchweg Debussys Interpunktion.*
† 1st edition: Alto solo. Original MS: Tenor solo (an octave lower). *1. Ausgabe: Altsolo. Original MS: Tenorsolo (eine Octave tiefer).*

* may = mayday festivities, maypole *etc.*

* 2nd edition, altos and tenors bars 32-40 & 50-51: *à bouche fermée* (with closed mouth).
  2. Ausgabe, Alt- und Tenorstimmen Takte 32-40 & 49-50: 'à bouche fermée' (mit geschlossenem Mund).

† Alto 1 only to bar 39.
  Nur Alt 1, bis Takt 39.

* Original MS and first edition read as keyboard reduction. *Original MS und 1. Ausgabe wie Klavierauszug.*
† Original MS reads as keyboard reduction. *Original MS wie Klavierauszug.*

3. Yver, vous n'estes qu'un villain